Sophie
cammel

(**www.battelloavapore.it**)

Titolo originale: Sophie and the Albino Camel
© 2006 Stephen Davies per il testo
First published 2006 by Andersen Press Limited.

Editing: Elàstico, Milano

I Edizione 2008

© 2008 - **EDIZIONI PIEMME** Spa
        15033 Casale Monferrato (AL) - Via G. del Carretto, 10
        www.edizpiemme.it - info@edizpiemme.it

Stampa: Mondadori Printing S.p.A - Stabilimento NSM - Cles (TN)

Stephen Davies

Sophie e il cammello bianco

Illustrazioni di
Giulia Orecchia

Traduzione di
Maria Grosso

1
Al mercato di Gorom-Gorom

– SETTANTACINQUE FRANCHI – disse la grassona. – Sono le banane più dolci di tutta l'Africa.

Sophie fece una smorfia, come se avesse appena inghiottito una lumaca del deserto. – Quaranta – rilanciò.

– Sessanta, – ripeté la donna – non un franco di meno.

Sophie si frugò in tasca e tirò fuori un pezzo da cinquanta franchi. Mentre la sollevava, la moneta brillò nella luce abbagliante del mezzogiorno.

La donna schioccò la lingua contrariata. – Sessanta – ribadì.

Sophie le sorrise dolcemente e cominciò ad allontanarsi. Un passo, due passi, tre passi...

– E va bene! – gridò la donna. – Cinquanta franchi, e che gli spiriti del deserto abbiano misericordia di te.

Conquistato il casco di banane, Sophie si diresse al banco dell'incantatore. Ormai sapeva come muoversi nel mercato di Gorom-Gorom. Viveva lì con suo padre da due anni e parlava fulfulde quasi come la gente del posto.

Al banco dell'incantatore c'era una folla di persone e la ragazzina dovette farsi largo per conquistare un posto in prima fila.

Salif dan Bari era nel bel mezzo della sua esibizione: avvolto intorno al capo portava un lungo turbante verde, e avvolto intorno al braccio un lungo serpente dello stesso colore. Il serpente fissò Sophie con i suoi stretti occhietti gialli, e con un sibilo fece saettare la lingua biforcuta.

6

Per tutta risposta la ragazzina gli fece una boccaccia. Aveva visto quel numero troppe volte perché potesse farle paura.

– Venite a conoscere Mamadou la corda, – diceva Salif dan Bari – la creatura più micidiale di tutta l'Africa.

Lì nessuno chiamava un serpente col suo nome: la gente credeva che, dicendo "serpente", il serpente più vicino si sarebbe fatto vivo pensando che qualcuno lo stesse chiamando. Così diceva sempre "la corda".

– Un morso di Mamadou e sarete morti nel giro di tre minuti – disse l'incantatore.

– *Oooh* – esclamò la folla, facendo un balzo indietro.

A quel segnale il serpente sollevò la testa e diede un morso sul naso a Salif dan Bari.

– *Aargh!* – strillò quello.

– *Oooh* – fece ancora la folla, che si divertiva un mondo.

– *Zorki!* – urlò l'incantatore. – Sono stato morso sul naso da una mortale corda verde! Che cosa devo fare?

– Prendi una pillola di Salif contro le corde! – suggerì una ragazzina.

Sophie la riconobbe: frequentava la sua stessa scuola, ma non era sua amica. Del resto, non aveva *veri* amici a Gorom-Gorom. Anche se adesso parlava correttamente fulfulde, gli altri ragazzi si tenevano ancora a distanza. Non era difficile intuire perché. Loro erano cresciuti tutti insieme e sapevano ogni cosa l'uno dell'altro. Lei, invece, lì era ancora una *straniera*: la stravagante e misteriosa ragazzina bianca che parlava con un accento divertente e beveva acqua filtrata da una bottiglia di plastica. Papà poi non le era di nessun aiuto; certo, continuava a ripeterle di trovarsi degli amici, ma era più facile a dirsi che a farsi.

– Una pillola di Salif contro le corde... – continuò l'incantatore, mostran-

do una minuscola pillola blu. – Buona
idea –. E cominciò a cantare:

Una corda verde
vi ha morso sul nasone?
Una pillola di Salif
e finirà ogni tribolazione.
Una corda inferocita
ha aggredito la vostra consorte?
Una sola pillola di Salif
preserverà la sua sorte.

Salif dan Bari trangugiò la pastiglia
blu e sospirò di sollievo: – Mmmm, mi
sento già meglio.

– Forse perché Mamadou la corda
non ha i denti? – gridò qualcuno tra la
folla, e tutti risero.

Lo sapevano tutti: Mamadou la corda era senza denti e l'incantatore era
un imbroglione. La gente di Gorom-
Gorom comprava le pasticche contro
le corde di Salif non perché credeva
davvero che avessero effetto, ma per-

ché si divertiva allo spettacolo dell'incantatore.

Sophie continuò il suo giro. Le piaceva immergersi nei colori e nei suoni del mercato: gli abiti e i foulard vivaci delle donne, le ceste di guave e papaie, l'enorme piramide bianca del grano, le grida dei venditori e dei bambini, l'acciottolio dei carri trainati dagli asini.

La tappa successiva era il parcheggio degli animali, uno spiazzo sabbioso vicino al lago dove la gente lasciava le proprie bestie. C'erano gruppi di asini e lunghe file di cammelli che aspettavano pazientemente il ritorno dei loro padroni. A Sophie piaceva il modo in cui gli asini se ne stavano in coppia, ognuno con la testa appoggiata sulla schiena dell'altro. «Nessuno di *loro* è solo» pensò.

I cammelli invece erano inginocchiati a formare una lunga fila rivolta verso il sole. Alcuni sonnecchiavano, o almeno così sembrava.

Anche il custode, seduto lì accanto, stava schiacciando un pisolino.

– Sveglia! – gridò un uomo bassottello con un vestito sfarzoso, sferrando un calcio al custode. – Nell'ultimo mese sono stati rubati sei cammelli in questa zona, e tu te ne stai qui a russare come un leone.

– *Fingevo* di russare – si giustificò il custode con fare indignato. – È per ingannare i ladri.

Fu allora che Sophie lo vide.

Era l'ultimo della fila: un cammello tutto bianco dalla testa alle gobbe e giù fino alle zampe. C'erano decine di normali cammelli marroncini e poi, alla fine, quel magnifico esemplare bianco. Lo guardò. Non aveva il ghigno che hanno di solito i cammelli. Sembrava serio, forse perfino un po' triste. L'animale posò su di lei i suoi grandi occhi marroni e la fissò da sotto le palpebre semichiuse. Aveva ciglia lunghissime.

– *Salam alaykum* – disse una voce alle sue spalle.

Sophie si voltò e si trovò davanti un ragazzino: indossava larghi pantaloni con le toppe sulle ginocchia e una camicia gialla dalle maniche troppo lunghe. Se ne stava appoggiato a un bastone e le rivolgeva un ampio sorriso.

– *Alaykum asalam* – lo salutò a sua volta Sophie.

– Bruttino, non trovi? – disse il ragazzo.

– A me sembra bellissimo – rispose Sophie. – Non ho mai visto un cammello bianco prima d'ora.

– E lui non ha mai visto una ragazza bianca – ribatté il ragazzo. Aveva i capelli rasati a zero e i denti davanti un po' sporgenti. Sembrava simpatico.

– Come si chiama? – chiese Sophie.

– Chobbal.

Il *chobbal* era un piatto africano, una sorta di budino di riso piccante che a Sophie non piaceva granché.

– Non ti ho mai visto a scuola a Go-rom-Gorom – disse la ragazza.

– Perché non ci vado. Sono un griot.

Sophie aveva sentito parlare spesso dei griot, ma non ne aveva mai incontrato uno.

I griot erano cantastorie di professione: sapevano a memoria migliaia di racconti, indovinelli e canzoni. Ed erano anche grandi conoscitori della storia africana: un bravo griot ricordava i nomi e le imprese di tutti i guerrieri e dei capi della sua regione, anche di quelli vissuti cinquecento anni prima. Quando c'era una festa importante, per esempio una cerimonia per dare il nome a un bambino, veniva assoldato un griot perché cantasse per gli ospiti; in queste occasioni, di solito, le canzoni non facevano che ripetere quanto erano coraggiosi, saggi e belli tutti gli antenati del padrone di casa.

– Vuoi sentire il mio *tarik*? – domandò il ragazzo.

– Ok – rispose Sophie, senza avere la più pallida idea di che cosa fosse.

Il ragazzo sollevò le braccia e fece un profondo respiro, tanto che tutto il suo corpo sembrò gonfiarsi. Quindi cominciò un lamento dai toni acuti:

Salve, il mio nome
è Gidaado Quarto
Gidaado figlio di Alu
Alu figlio di Hamadou
Hamadou figlio di Yero
Yero figlio di Tijani
Tijani figlio di...

– Ok, ok – lo interruppe Sophie. – Mi sembra che basti.

...Haroun figlio di Gidaado Terzo
Gidaado Terzo figlio di Salif
Salif figlio di Ali
Ali figlio di Gorko Bobo...

– Fermati – tentò di nuovo Sophie.

Gorko Bobo figlio di Adama
Adama figlio di Hussein lo Spilungone
Hussein lo Spilungone figlio di Gid...
AHI!

– Scusami – disse Sophie, lasciando andare l'orecchio di Gidaado Quarto.

Il ragazzo se lo massaggiò e, aggrottando le sopracciglia, chiese: – Come ti chiami?

– Sophie.

– Felice di conoscerti – disse Gidaado. – Almeno credo.

– Piacere mio.

Alle loro spalle si sentì un sonoro russare. Il custode del parcheggio degli animali doveva essersi addormentato di nuovo.

– Devo rimettermi in strada verso il mio villaggio – disse Gidaado.

– Ok.

– Ehi, Sofa – riprese il ragazzo, mentre il suo viso si apriva lentamente in un gran sorriso – che ne diresti di una bella passeggiata in groppa a Chobbal?

Sophie guardò il magnifico cammello bianco, poi Gidaado.

«Mi raccomando: di' sempre "no" agli sconosciuti» le ripeteva suo padre. Ma non le ripeteva sempre anche di provare a farsi degli amici?

– D'accordo – rispose.

2
Una gita nel deserto

CAMMINANDO, Chobbal oscillava avanti e indietro e Sophie doveva tenersi saldamente alle redini per non cadere. Era già salita su un cammello, ma non era mai andata così lontano. Ormai erano usciti da Gorom-Gorom; intorno a loro si allungavano le distese di sabbia del Sahara, punteggiate qua e là da piccoli cespugli di acacia.

Sophie era preoccupata. Si trovava ai confini di uno dei più grandi deserti del mondo e nello zainetto aveva soltanto una bottiglietta d'acqua e un casco di banane.

Non solo: il suo compagno di viaggio era uno strano ragazzo di nome Gidaado che non andava nemmeno a scuola. Le aveva detto che il villaggio non era lontano, ma erano in viaggio già da due ore.

Che cosa avrebbe detto papà se l'avesse vista in quel momento? Gli si sarebbero appannati gli occhiali, come succedeva quando era arrabbiato? L'avrebbe sgridata? Probabilmente le avrebbe ripetuto per l'ennesima volta la storia di Fatimata Tamboura che si era persa nel deserto. Alla fine, per sopravvivere, la povera ragazza aveva dovuto masticare radici di acacia. «Mai scherzare con il Sahara» sentenziava suo padre.

Ma forse non si sarebbe arrabbiato. Negli ultimi giorni era stato completamente assorbito dai suoi esperimenti sulle piante carnivore. Quella mattina, prima di uscire, Sophie lo aveva trovato accanto alla sua acchiappamosche del deserto, intento a farci dondolare sopra un insetto.

– Vado al mercato – lo aveva avvertito la ragazza.

– Sì, grazie, tesoro – aveva risposto lui, senza alzare gli occhi. – Per me un goccio di latte e due cucchiaini di zucchero.

No, suo padre non era come gli altri genitori. A patto che fosse a casa all'ora di cena, non si sarebbe nemmeno accorto che era uscita.

Seduta sulla sella, Sophie teneva i piedi delicatamente appoggiati sulla U del collo di Chobbal.

Gidaado era dietro di lei, appollaiato in modo precario sulla gobba posteriore. Da quando avevano lasciato Gorom-Gorom non aveva smesso un attimo di chiacchierare.

– ...Conosco Chobbal fin da quando era un cucciolo – stava dicendo. – La sua vera madre si rifiutava di dargli il latte a causa del suo aspetto bizzarro.

Così ho dovuto darglielo io tutti i giorni, da una *calebasse*.

Sophie pensò alle *calebasse* che suo padre teneva in casa da studiare. Erano grandi frutti rotondi, simili a zucche, ma con un guscio molto più duro. Non erano per niente buone da mangiare ma, se uno le tagliava a metà e le svuotava internamente, il guscio vuoto diventava un fantastico recipiente per conservare il latte o il grano. E ci si potevano fare anche dei tamburi.

– È un buon cammello – disse Gidaado. – Guarda che denti grandi e forti.

Sophie non si sognava nemmeno di mettersi a guardare i denti di Chobbal mentre si trovava sulla sua gobba. – Ti credo.

– È anche veloce – continuava Gidaado. – Sto pensando di iscriverlo alla Corsa dei Cammelli della provincia di Oudalan di quest'anno –. Fece roteare il bastone di legno e gridò: – *Hoosh-ka!*

Il cammello cominciò a procedere al trotto e poi a galoppare sempre più velocemente. Sophie lanciò un urlo e raddoppiò la stretta sulle redini. Correndo, Chobbal traballava paurosamente, oscillando di qua e di là e sprizzando saliva dagli angoli della bocca. Sophie rimbalzava su e giù sulla sella come un cow-boy in un rodeo.

– Fallo fermare! – gridò. – Sto per vomitare!

– Che cos'hai detto, Sofa? – urlò Gidaado. – Vuoi accelerare, ho capito bene? *HOOSH-BARAKAAA!*

Chobbal abbassò la testa e diede uno strattone in avanti, calpestando la sabbia con gli zoccoli così forte da sollevare dietro di sé nuvole di polvere. Sophie sentiva sul viso l'aria bollente del Sahara come un enorme phon puntato dritto su di lei. Riusciva a stento a respirare. Le sue nocche divennero bianche tanta era la forza con cui si teneva aggrappata allo spuntone di legno che formava la parte anteriore della sella. Le banane saltarono fuori dalla borsa e sparirono dal suo campo visivo.

– BANANE FUORIBORDO! – strillò. – FERMA!

– *Bahaat-ugh!* – urlò Gidaado. Immediatamente Chobbal sollevò la testa e cominciò a rallentare.

– Me la pagherai per questo, Gidaado Quarto – borbottò Sophie non appena Chobbal si rimise al passo. – Fallo tornare indietro, dobbiamo recuperare le mie banane.

– Fallo tornare indietro tu: sei tu che tieni le redini – ribatté il ragazzo, facendole una smorfia.

Sophie aggrottò la fronte e tirò le redini da un lato. Chobbal si guardò attorno e sollevò un sopracciglio.

– Devi essere gentile con lui, Sofa – disse Gidaado.

– Il mio nome è *Sophie*.

Dieci minuti più tardi avevano ripreso la loro strada. Il sole non era più così forte e soffiava una leggera brezza.

– Tijani, il mio bis-bisnonno, era un corridore – disse Gidaado sbucciando una banana. – Con Mariama La Pazza vinse per tre volte la Corsa dei Cammelli della provincia di Oudalan.

– Mariama La Pazza? – ripeté Sophie ridendo.

– È il cammello più svitato che sia mai esistito. Al mio bis-bisnonno staccò due dita con un morso.

– Oh, è disgustoso.

– Sì, beh… Tijani non si lasciò impressionare più di tanto. Mariama era il cammello più veloce di Oudalan, così lui sopportava di buon grado il suo caratteraccio: ogni corsa che Mariama vinceva gli faceva guadagnare una pepita d'oro. La iscrisse anche alla gara "Versa il tè dalla gobba del cammello" della provincia di Oudalan, ma Mariama non era adatta per quel tipo di concorsi. Troppo irrequieta.

– Posso immaginare – commentò Sophie. A Gorom-Gorom aveva visto alcune persone allenarsi per quella competizione: richiedeva una mano particolarmente ferma e un cammello particolarmente calmo.

– Buone queste banane – disse Gidaado.

Sophie gliene porse un'altra e ne prese anche una per sé. – Dimmi una cosa. Quell'uomo al mercato di Gorom-Gorom ha detto che di recente sono stati rubati sei cammelli. È vero?

– Sì.

– E secondo la gente chi è il ladro?

Gidaado si guardò attorno, quindi si sporse in avanti e sussurrò all'orecchio di Sophie: – Moussa ag Litni.

– E chi sarebbe? – mormorò lei.

– Un bandito tuareg – bisbigliò Gidaado.

– Siamo in mezzo al deserto – sussurrò Sophie – perché parliamo a bassa voce?

– La sabbia ha le orecchie – sentenziò Gidaado e si guardò di nuovo attorno.

Stava facendo finta o era veramente spaventato?

– Raccontami di Moussa ag Litni – disse Sophie.

– Come vuoi – acconsentì il ragazzo – ma non dare la colpa a me se poi avrai gli incubi.

– Non accadrà – lo rassicurò Sophie.

3
Il piccolo Alai

– MOUSSA AG LITNI – esordì Gidaado – è un capobandito tuareg. Tu sai chi sono i Tuareg, vero?

– No – ammise Sophie.

– Ma che cosa vi insegnano a scuola? Credevo che voi studenti sapeste tutto. I Tuareg sono un'antica tribù nomade, i signori del Sahara. A volte li chiamano anche "gli uomini blu" perché indossano turbanti di un indaco intenso che tinge di blu la loro pelle. Vivono in tende e usano i cammelli per viaggiare nel deserto. Mi segui fin qui?

– Sì, continua.

– In passato la gente che viveva a sud del deserto estraeva l'oro, quella che viveva a nord il sale, e i Tuareg trasportavano il sale attraverso il deserto con i loro cammelli. C'era una città chiamata Timbuktu dove avveniva lo scambio. Un chilo di sale per un chilo d'oro, dicevano.

Non appena il sole cominciò a calare, il cielo si colorò di un arancione brillante e sul paesaggio intorno si diffuse un intenso bagliore simile all'oro. Era questa la parte del giorno che Sophie preferiva: quei venti minuti dorati prima dell'oscurità.

– Preferirei mille volte un chilo d'oro che uno di sale – osservò.

– Ma la gente del Sud aveva bisogno del sale per insaporire i cibi – spiegò Gidaado. – Non puoi mettere l'oro sul *chobbal*.

– Giusto – disse Sophie. – E le donne non possono appendersi il sale alle orecchie.

– Ecco perché li scambiavano. Il mio bis-bis-bis-bis-bis-bis-bisnonno Gorko Bobo si recava a Timbuktu regolarmente. Se hai un buon cammello, è a sole due settimane di viaggio da qui. Un'antica leggenda narra che le strade di Timbuktu erano coperte d'oro e che nel centro della città si innalzava un'enorme colonna dorata a cui i commercianti tuareg legavano i loro cammelli. Era la città più ricca del mondo. Adesso chiedimi se le cose stanno ancora così.

– Le cose stanno ancora così?

– No. Oggi Timbuktu è solo una piccola città del deserto piena di sabbia e di venditori di cartoline. E naturalmente di griot che cantano le loro canzoni sui bei tempi andati.

– Perché le cose sono cambiate?

– Oggi il sale ha molto meno valore di un tempo. Non lo si trasporta più attraverso il deserto con una carovana di cammelli. Semplicemente lo si compra a basso costo all'estero. A questo punto chiedimi che cosa fanno i Tuareg adesso.

– Che cosa fanno i Tuareg adesso?

– Alcuni confezionano cuscini di pelle. Altri coltelli e orecchini d'argento. E altri ancora comprano e vendono cammelli.

– E cosa fa Moussa ag Litni?

– Compra e vende cammelli. O meglio, *ruba* e vende cammelli. Esiste anche una canzone su di lui... la cantano i griot di Timbuktu. Vuoi ascoltarla?

– Ok.

– Non ti farà venire gli incubi?

– Ti ho detto di no.

Gidaado cominciò a tamburellare a ritmo sulle spalle di Sophie.

Dum baba-dum baba-dum baba-dum.

Fece un respiro profondo e iniziò a cantare.

Rilassatevi e aprite le orecchie
per ascoltare la storia che si canta,

ma vi avviso (senza peli sulla lingua):
la paura sarà tanta.

Moussa ag Litni è il bandito
che atterrisce i nostri cuori,
adora rubare i cammelli
e i proprietari farli fuori.

Blu notte è il turbante che indossa,
perché non ama la luce solare,
e porta un campanello attorno al collo
così che tu lo senta arrivare!

– Scusa se ti interrompo, – intervenne Sophie – ma non ha alcun senso. Se è un ladro di cammelli, perché vuole che la gente sappia che sta arrivando?

– A Moussa ag Litni piace rubare i cammelli, ma gli piace ancora di più, prima, dare la caccia ai loro proprietari. Porta un campanello d'argento per dare alle sue vittime una possibilità di scappare.

– È... disumano – osservò Sophie.

– Posso continuare? – disse Gidaado.

– Solo se la smetti di usare la mia testa e le mie spalle come tamburi.

– Ok, userò il posteriore di Chobbal.

Dum baba-dum baba-dum baba-dum...

Alai era un ragazzino,
aveva otto anni appena
e un cammello dai denti di castoro:
la loro amicizia valeva più dell'oro.

– Senti, – lo interruppe Sophie storcendo il collo per guardarlo in faccia, – se a questo ragazzino di nome Alai capita qualcosa di brutto, puoi risparmiare il fiato. Non ho intenzione di starti a sentire.

– Come vuoi – disse Gidaado.

Proseguirono in silenzio per un po'. Il sole era basso; sulle dune di sabbia si allungavano misteriose le ombre dei due ragazzi in groppa al cammello. Sophie cercava di togliersi dalla testa

la canzone, ma non ci riusciva. Che cosa era accaduto al piccolo Alai?

– E va bene – sbottò alla fine. – Finisci la canzone.

– Sicura?

– Sì.

Dum baba-dum baba-dum baba-dum...

Il cammello dai denti di castoro
a una pozza d'acqua si dissetava;
Alai dormiva come un ghiro
e non sentì il campanello che arrivava.

Ag Litni era in piedi davanti a lui,
con in mano un pugnale d'argento,
disse: "Sono qui per portarti via
il cammello e la vita in un momento".

"Non farmi del male"
piagnucolò Alai,
gettandosi supplice ai suoi piedi.
"Del cammello fai ciò che vuoi,
ma lasciami intero come mi vedi".

"E sia, di te avrò pietà,
uccidere un moccioso non mi va".
Ma poi con un ghigno
davvero maligno
ridacchiò: "E invece no!".

Moussa ag Litni cominciò a danzare,
volteggiava in alto il pugnale,
Moussa ag Litni urlò forte,
e del povero Alai non si seppe la sorte.

Se hai un cammello anche TU,
stai in guardia, non dormire più,
perché ag Litni sa dove vivi
ed è tra i banditi più cattivi.

Sophie rabbrividì e si guardò attorno piena di paura. Distese di sabbia da ogni parte, fino all'orizzonte. Restò in ascolto. Nessun suono se non quello degli zoccoli di Chobbal sulla sabbia morbida.

– Perché la polizia non lo arresta? – chiese infine.

– Nessuno sa dove viva. Potrebbe essere da qualunque parte nel Sahara. Dicono che giri parecchio. Una volta tre poliziotti di Gorom-Gorom furono mandati nel deserto su dei cammelli per cercarlo. Avevano con loro acqua, cibo, fucili, radio, tutto quello che poteva servire.

– E?

– Nessuno li ha mai più rivisti – concluse Gidaado.

Intorno a loro incombeva l'oscurità. Sophie scrutò il sole che adesso era di un rosso sangue.

– E tu? – chiese Sophie. – Tu continui a viaggiare ancora nel deserto con Chobbal.

– Mia nonna è malata e devo andare ogni settimana a Gorom-Gorom per comprarle le medicine.

– Ma non hai paura?

Gidaado rise, un po' a disagio, e si guardò attorno. – Qualche volta – mormorò.

Sophie non osava fare la domanda successiva. – Hai paura *adesso*?

– Le mie ginocchia picchierebbero l'una contro l'altra se non ci fosse un cammello in mezzo – rispose il ragazzo. – Ma non è poi così male se c'è qualcuno con me.

Sophie si rabbuiò. *Ecco* perché l'aveva invitata. Non perché voleva diventare suo amico. Non voleva trovarsi da solo nel caso Moussa ag Litni si fosse fatto vivo.

– A dire la verità – continuò Gidaado – Moussa ag Litni non è il pericolo più grande qui nel deserto.

– E quale è il pericolo più grande? – chiese lei.

– I geni – rispose Gidaado. – I geni del deserto. La gente racconta un sacco di storie su di loro. Ti si avvicinano furtivamente alle spalle, ti saltano sulla testa e ti fanno diventare matto. Ma solo se viaggi per conto tuo, naturalmente.

– Naturalmente – disse Sophie. – C'è per caso qualcos'altro che dovrei sapere al riguardo?

– No, non mi sembra.

– Non riesco a credere che tu non me lo abbia detto prima – si lamentò la ragazza.

– Se te lo avessi detto, non saresti venuta con me.

– Puoi giurarci.

4
Nel baobab

SOPHIE NON RIUSCÌ a restare a
lungo arrabbiata con Gidaado. Gli di-
spiaceva per lui: dover fare ogni settimana quel viaggio, senza niente che lo
distraesse dal pensiero di Moussa ag
Litni e dei geni del deserto... E poi,
pensava, il Sahara era davvero molto
grande: le probabilità di imbattersi in
Moussa ag Litni erano una su un mi-
liardo. E finché lei e Gidaado fossero
rimasti insieme, neanche i geni del deserto avrebbero potuto attaccarli.

All'orizzonte apparve la sagoma di
un albero. Era un albero molto stra-

no, con un tronco larghissimo da cui si staccavano rami brutti e tozzi. Una volta suo padre gliene aveva mostrato uno simile, ma Sophie ne aveva dimenticato il nome.

– È un baobab – disse Gidaado come se le avesse letto nel pensiero. – Quando Dio lo creò, era l'albero più bello di tutti, con lunghi rami aggraziati e foglie eleganti. Ma il baobab si inorgoglì e cominciò a vantarsi della sua bellezza, così Dio lo sradicò e lo piantò a testa in giù. Quelle che vedi adesso in realtà sono le radici.

Sophie rise. Una volta a casa l'avrebbe raccontato a suo padre. A questo pensiero fu improvvisamente assalita da un senso di colpa: non sarebbe mai stata di ritorno per l'ora di cena. Suo padre di certo si sarebbe preoccupato e forse avrebbe chiamato la polizia. Lo immaginò al commissariato mentre cercava di spiegare in fulfulde che sua figlia era scomparsa. Il fulfulde di suo padre non era buono come il suo e sicuramente si sarebbe lasciato prendere dall'agitazione.

– Quanto dista ancora il tuo villaggio, Gidaado? – chiese Sophie.

– Non manca molto. Prima però ci fermeremo all'albero di baobab per mangiare e bere qualcosa.

– Ma hai appena mangiato l'ultima banana.

– Qualcosa troveremo – rispose lui.

Chobbal non ci mise molto a raggiungere il baobab.

– *Bahaat-ugh!* – ordinò il ragazzo e il cammello si fermò.

Gidaado allungò le braccia e si aggrappò a un ramo sporgente, poi sollevò le gambe dal cammello e rimase appeso a mezz'aria.

– Dai, Sofa – disse. – Andiamo.

– Andiamo dove?

– Seguimi – rispose lui e iniziò ad avanzare lungo il ramo mettendo una mano davanti all'altra.

Sophie si alzò in punta di piedi e si aggrappò al ramo sopra la sua testa. Trasferì lentamente tutto il suo peso sul ramo e cominciò a seguire Gidaado, che aveva quasi raggiunto il tronco. Allora guardò in basso. I suoi piedi penzolavano nel vuoto: era lontana dal terreno quel tanto che bastava per farsi prendere dal panico. Quando rialzò lo sguardo, Gidaado era scomparso.

– Gidaado! – chiamò.

Silenzio.

– Gidaado Quarto, dove sei finito?

– Sono qui – rispose una voce attutita che sembrava provenire da *dentro* l'albero. – Sto cercando dei fiammiferi.

Sophie avanzò oscillando fino al cuore dell'albero, dove il tronco si divideva in tre grandi rami, e sbirciò giù dentro un grosso buco scuro. Il tronco era completamente cavo.

– Calati! – la esortò la voce di Gidaado emergendo dall'oscurità. – Non è profondo.

– Non ci penso nemmeno – gridò Sophie. – Non riesco a vedere il fondo.

– Fa' come vuoi – rispose Gidaado – ma c'è un nido di formiche rosse alla fine del ramo, proprio dove tieni le mani.

D'istinto Sophie mollò la presa.

– AHI! – esclamò. – Avevi detto che non era profondo!

– Ho anche detto che c'era un nido di formiche rosse. Ogni tanto mi capita di dire qualche bugia.

– Ricordami di non credere mai più a quello che dici – sbuffò Sophie.

La fiamma di un fiammifero brillò e Sophie vide i denti bianchi di Gidaado farle un ampio sorriso. Poi il bagliore aumentò; il ragazzo aveva acceso una sorta di lampada a paraffina. Una luce arancione si diffuse sulle pareti di legno di una piccola stanza. A ogni lato erano addossati scaffali stipati di strani oggetti: su uno c'erano una fila di ciotole di *calebasse* di differenti dimensioni e uno strumento che sembrava un banjo a tre corde; su un altro un intero assortimento di frutta, per lo più frutti di baobab, ma anche guave e sacchetti di datteri; su un altro ancora la catena di una bicicletta, una catapulta e un enorme cappello di paglia.

– Ci fermeremo qui per un po', giusto il tempo di mangiare qualcosa, – disse Gidaado – poi proseguiremo. Il mio villaggio è a meno di un'ora da qui e Chobbal conosce la strada anche al buio. Mia nonna ti darà una stuoia di paglia su cui dormire e domani mattina mio zio Ibraiim ti riporterà a casa con la motocicletta.

Sophie ripensò a suo padre e deglutì. Se solo ci fosse stato un modo per fargli sapere che stava bene e che sarebbe tornata il mattino seguente... «Se fossi il presidente di questo paese» pensò «metterei delle cabine telefoniche nel Sahara. O ancora meglio, un'antenna per i cellulari. Così i bambini potrebbero esplorare il deserto liberamente senza che i loro genitori stiano in pensiero».

Si sedette su uno sgabello di legno. Doveva ammettere che era un nascondiglio fantastico: dall'esterno nessuno avrebbe mai immaginato che dentro il baobab ci fosse una stanzetta così accogliente.

– Un tempo, quando morivano, i griot venivano seppelliti all'interno dei baobab – spiegò Gidaado. – La gente credeva che avessero poteri soprannaturali e che con un griot sotto terra i raccolti sarebbero stati cattivi. Così, quando uno di loro moriva, avvolgevano il suo corpo in un lenzuolo e lo deponevano nel tronco di un baobab. Tutti i miei antenati fino a Gidaado Terzo sono stati seppelliti così.

Sophie scosse la testa. Perché le persone ogni tanto ragionavano in questo modo? Solo perché i griot erano un po' diversi dagli altri, avevano paura di

47

loro e li consideravano *strani*. Lei conosceva bene quella sensazione e non era per niente piacevole.

Gidaado riempì di datteri una ciotola di *calebasse*. – Dovrebbe bastare per tutti e tre.

– *Tre?*

– Ah, sì, quasi dimenticavo. Ti presento Tijani.

Sophie guardò verso il punto indicato da Gidaado, ma non vide nulla. Poi, in alto, notò una grossa lucertola screziata. Si confondeva perfettamente con il tronco dell'albero. La lucertola la guardò a sua volta e sbatté le palpebre: Sophie avrebbe giurato che le avesse sorriso.

Gidaado fece schioccare la lingua e l'animale scese con un guizzo per fermarsi proprio sopra di lui. Poi agguantò un dattero con la bocca e scappò via di nuovo.

– È uno scinco – spiegò Gidaado. – L'ho chiamato Tijani perché gli mancano due dita su una zampa, come al mio bis-bisnonno.

– E quello cos'è? – chiese Sophie, indicando lo strano banjo.

– Quello è il mio *hoddu*. Tutti i griot suonano l'*hoddu*, fa parte del mestiere.

– Ti va di suonare qualcosa per me adesso?

– Ok.

Gidaado prese l'*hoddu*, lo posò sul ginocchio e cominciò a pizzicare le corde con il pollice e due dita. Ne uscì una musica suadente. Il ragazzo gonfiò il petto e cominciò a cantare dolcemente:

Rumore di geco,
sospiro di cammello,
corse veloci di scinchi sulla roccia.
Infuso di tè dolce e intenso,
versato dall'alto in un bicchiere,
gracidare di rane in un'oasi.

Il deserto gioisce e io con lui.

Asini che fissano
la stella della sera,
formiche in una conchiglia
di nocciolina americana,
avvoltoi che aspettano
all'alba sui cipressi,
piccoli di caprette che
saltellano vicino al pozzo.

Il deserto gioisce e io con lui.

Polli che danzano
nella polvere,
ragazza che balla
mentre pesta il miglio,
la fiamma della nostra
lampada che danza,
mentre beve le ultime gocce
di paraffina.

Il deserto danza e io con...

Gidaado si interruppe e i suoi occhi si spalancarono a dismisura.

Sophie lo fissò aggrottando le sopracciglia. – Perché hai...?

– Shhh.

La ragazza si mise in ascolto, ma non sentì nulla. Poi avvertì un suono fievole, che diventava man mano sempre più forte.

Il tintinnio di un campanello.

Gettò un'occhiata a Gidaado e vide che gli tremavano le gambe. No, non poteva accadere *davvero*.

Il tintinnio cessò e si udì una voce acuta dire: – Un "coso" dall'aspetto divertente, non è vero, capo? –. La persona che aveva parlato era proprio all'esterno dell'albero.

– È un albino – spiegò una voce diversa, bassa e minacciosa. – Spunterà un buon prezzo al mercato di Tasmakat. O forse diventerà un buon inseguitore.

Adesso Gidaado tremava tutto. – È *lui* – mormorò a mezza bocca. – Moussa ag Litni.

– Oooh, capo, – si udì di nuovo la voce acuta – guarda che denti forti!

Gidaado tremava così tanto che la *calebasse* che teneva sulle ginocchia cadde a terra. I datteri si sparsero dappertutto.

Sophie si morse le labbra.

– Che cos'era? – esclamò Moussa ag Litni.

– Ho detto "Oooh, guarda che denti forti".

– No, cos'era quel rumore?

– Che rumore?

– C'è qualcuno dentro l'albero.

5
Per un amico

– SALAM ALAYKUM! – gridò ag Litni allegramente. – Chi è là?

Gidaado aprì la bocca ma, con gran
sollievo di Sophie, la richiuse subito.
Era scortese non restituire il saluto,
ma meglio scortesi che morti!

– Forza, Usman, mezzo cervello, –
ordinò ag Litni – arrampicati lì sopra
e dimmi chi c'è lì dentro.

– Ok, capo.

Ci fu un rumore come di qualcuno
che si strofinava sul tronco dell'albero. Gidaado spense la lampada a paraffina. Calò la più completa oscurità.

Sophie teneva gli occhi fissi al tenue cerchio di luce dell'apertura del tronco. Sentiva il cuore battere al ritmo della canzone del piccolo Alai. *DUM BABA-DUM BABA-DUM BABA-DUM*. Lo strofinio cessò e sopra di loro apparve una faccia rugosa e coriacea, avvolta in un turbante scuro. Si scorgevano soltanto un paio di occhi neri che scrutavano verso il basso.

– Ah, ecco – disse la voce. – È lì. Lo uccido?

Sophie avvertì una sensazione di gelo alla bocca dello stomaco. Gidaado era stato scoperto. La prossima sarebbe stata lei.

– Certo che no – rispose Moussa ag Litni. – Lo ucciderò personalmente. Spingilo fuori, gli farò la mia Danza della Morte. È un uomo o un ragazzo?

Non può succedere. Non può succedere.

– Nessuno dei due – disse la voce sopra di loro. – È uno scinco.

– Oh... – l'altra voce sembrò delusa. – Uno scinco?

– Sì, uno scinco.

– Allora non è molto divertente. Te lo lascio.

Tijani! Era ancora sopra di loro, vicino all'apertura del tronco. Ma perché era rimasto lì e si era lasciato vedere?

Una mano si allungò verso il basso e afferrò la lucertola. Questa fu sollevata fuori dall'albero, e la mano e la faccia scomparvero.

Si udì una sorta di raspata. Poi un tonfo sordo. L'uomo era ridisceso a terra.

– Andiamo – disse ag Litni. – Tu cavalcherai Nyiiri, io l'albino.

– Non facciamo come martedì, capo? Seppellirci nella sabbia e stare distesi in silenzio finché non torna il proprietario del cammello, e poi balzare fuori e fare la Danza? È stato divertente.

– Fa' come vuoi – rispose ag Litni. – Anzi, meglio ancora se nella sabbia ti ci seppellisci e ci resti.

Uno dei cammelli grugnì. La campana tintinnò di nuovo, ma sembrava abbastanza lontana adesso.

– *Zorki!* Capo, quello strabico di uno scinco mi ha morso!

– Quante storie. Pensa alla zuppa di scinco di stasera.

Le voci svanirono. Seguì un lungo, inquietante silenzio.

– Se ne sono andati? – sussurrò Gidaado.

– Credo di sì – mormorò Sophie.

Un fiammifero brillò e la lampada si riaccese.

– Non riesco a crederci! – esclamò Gidaado. – Moussa ag Litni ha appena rubato Chobbal e Tijani. Se mai riuscirò a trovarlo, allora mi sentirà...

– Sarai *tu* a sentire lui quando farà la sua Danza della Morte su di te – lo interruppe Sophie. – Dovresti essere contento di essere ancora vivo.

– Altro che! Credevo che fossimo spacciati. E i griot di Timbuktu avrebbero scritto canzoni sulla nostra orribile fine dentro il baobab.

– Ti dispiace se usciamo da questo buco? – disse Sophie. – Mi fa accapponare la pelle.

– Ok, passami la corda. È proprio dietro di te.

Sophie lanciò un urlo e si girò di scatto.

– Cosa c'è ancora? – chiese Gidaado allarmato.

– Oooh... Intendevi *quella* corda. Scusa.

Gidaado infilò quattro guave e un frutto del baobab nella borsa di Sophie. Poi fece un cappio alla corda e la lanciò verso l'alto, agganciandola a un ramo proprio vicino all'entrata del buco. Quindi tirò con forza e indietreggiò per consentire a Sophie di arrampicarsi.

– Bel lancio – osservò la ragazza. Si issò fuori, fermandosi sui rami del baobab. L'aria, dopo quella che le era sembrata una lunga prigionia, appariva fresca e leggera.

Gidaado comparve dietro di lei e le indicò un ramo sottile alla sua destra.
– Questa è la via più facile per tornare a terra. Guarda...

Si appese al ramo e iniziò ad avanzare reggendosi con le braccia. Man mano che procedeva, il ramo si incurvava facendolo scendere gentilmente verso il suolo. Alla fine il ragazzo mollò la presa, atterrando sulla sabbia, mentre il ramo scattò indietro con un sonoro *boing*.

Sophie si calò nello stesso modo e, una volta a terra, si guardò attorno. A ovest, dove il sole era appena tramontato, si scorgeva ancora un tenue bagliore, ma il resto del cielo era scuro, nonostante brillassero già alcune stelle.

Poco distante, Gidaado stava esaminando il terreno. – Ecco le tracce – disse. – Vieni.

– Ehi, un momento... cosa vuoi dire? Quali tracce?

– Chobbal – rispose lui. – È andato da questa parte.

– Non starai parlando seriamente – si preoccupò Sophie. – Hai intenzione di seguire Chobbal?

– Certo. Lo rivoglio indietro.

– Ma ti rendi conto di quello che dici? – sbottò la ragazza, di nuovo in preda alla paura. – Lì dentro eri spaventato quanto me. Hai ammesso che è una fortuna essere ancora vivi. E ora *vuoi* seguire Moussa ag Litni?!

– Se non lo seguiamo adesso, il vento cancellerà le tracce e avremo perso Chobbal per sempre.

Sophie non riusciva a credere alle sue orecchie. – Gidaado, è un *cammello*. D'accordo, è un albino, è speciale, ma è un *cammello*. Non vale la pena di rischiare la vita.

Gidaado incrociò le braccia e abbassò lo sguardo. Poi lo alzò al cielo. – Sofa, vedi quella stella laggiù a est, circa tre pugni sopra l'orizzonte?

Sì, la vedeva.

– La chiamiamo Puchu. Cammina dritto in quella direzione e dopo circa un'ora scorgerai la luce di un fuoco. Quello è Giriiji, il mio villaggio. Vedrai quattro capanne rotonde e una quadrata. Vai a quella quadrata, bussa alla porta e una vecchia donna rugosa, con dei grandi lobi, ti aprirà. Si metterà a gridare, ti chiamerà con ogni sorta di nomi e dirà: «Perché mi hai svegliato? Sono una donna molto malata». Quella è mia nonna. Dille che ti ho mandato io e lei si prenderà cura di te nel migliore dei modi. Al mattino mio zio Ibraiim ti riporterà a Gorom-Gorom con la motocicletta.

Sophie lo fissava. – E tu?

– Te l'ho detto. Ho un amico da salvare.

Sophie guardò Gidaado che se ne stava lì tutto tremante, con le sue maniche troppo lunghe e i pantaloni troppo larghi. E mentre lo guardava, per la prima volta capì una cosa.

Sotto la sua paura c'era un pozzo di coraggio. Lo stesso coraggio che aveva avuto Tijani quando si era lasciato portare via dall'albero. Il coraggio di chi è disposto a rischiare per la salvezza di un amico.

– Allora vengo con te – disse d'un fiato, quasi senza rendersene conto.

6
Il cobra che sputa

Secondo te da quanto tempo stiamo camminando? – chiese Sophie.

– Due ore, forse anche tre – rispose Gidaado.

Procedevano verso nord nell'oscurità del deserto, seguendo le tracce del cammello. Le impronte erano facili da riconoscere: un ovale perfetto spaccato nel mezzo. Formavano due file: una apparteneva al cammello di Moussa ag Litni, l'altra a Chobbal. Da quando il sole era tramontato il buio si era fatto ancora più fitto e i due ragazzi dovevano camminare curvi per riuscire a scorgere le impronte. Ma adesso stava spuntando la luna: una nitida luna di tre quarti che diffondeva una luce tenue e spettrale su tutto il paesaggio.

Sophie gettò un'occhiata a Gidaado. Nei suoi occhi spalancati si leggeva una grande preoccupazione.

– Vuoi molto bene a Chobbal, vero?

– C'è poco da voler bene a un animale così – rispose lui. – Non è molto sveglio, mangia troppo, se ne va sempre in giro e si perde. Passo metà del mio tempo a cercarlo.

– Questo non toglie che gli vuoi bene.

– Mi sento responsabile per lui – disse Gidaado. – Non puoi dare il latte a un cammello per due anni, ogni giorno, e non sentirti responsabile per lui, non credi?

– Lo hai chiamato *amico*.

– Ce la caviamo bene insieme, ok? Non sputa e non scalcia come certi cammelli che conosco. E qualche volta, quando mi vede, sorride.

– È una cosa dolce.

– E dopo tutto questo, lui che cosa fa? Se ne trotta via felice con dei banditi tuareg assassini.

– Ma lui non sa quanto sono malvagi – lo difese Sophie.

Gidaado schioccò la lingua. – Lo scoprirà presto.

– Che cosa vuoi dire?

– Diciamo solo che Moussa ag Litni non tratta i cammelli con grande gentilezza.

Sophie guardò le impronte degli zoccoli di Chobbal e si rabbuiò. Non sopportava chi trattava male gli animali, grandi o piccoli che fossero. Appena qualche giorno prima si era svegliata a mezzanotte ed era sgattaiolata nello studio di suo padre per liberare un'intera scatola di formiche-soldato che dovevano finire in pasto alla sua acchiappamosche del deserto. Papà non aveva capito che era stata lei, e il mattino seguente aveva vagato per un'ora intera, mormorando tra sé e sé: «Dove le avrò messe?».

Erano tante le domande che Sophie avrebbe voluto fare a Gidaado su quella storia dei cammelli, ma non era sicura di voler sentire le risposte. Infine la curiosità ebbe la meglio.

– Che cosa gli fa? – chiese.

– Che cosa fa a chi?

– Che cosa fa Moussa ag Litni ai cammelli.

Gidaado sospirò. – Dicono che quando Moussa ag Litni ruba un cammello lo mette alla prova per un po' per decidere in quale categoria inserirlo: se è veloce diventa un inseguitore; se è forte diventa un trascinapesi; se non è né forte né veloce viene portato nel Mali e venduto in uno dei mercati del posto.

– A che cosa gli servono gli inseguitori?

– Per inseguire le persone e per rubare più cammelli, naturalmente. Stasera ag Litni era sicuramente in groppa a un inseguitore quando ha scoperto Chobbal.

– Che cosa fanno invece i trascinapesi?

– Tirano l'acqua. Non hai mai visto i pozzi nel deserto del Sahara?

– No – rispose la ragazza. – Non sono mai stata tanto a nord.

– L'acqua si trova così in profondità che i pozzi devono scendere sottoterra almeno cinquanta metri. Più o meno come tre baobab. Dunque, mettiamo che tu voglia attingere l'acqua da un pozzo profondo cinquanta metri: devi sollevare cinquanta metri di corda più un grosso secchio d'acqua.

– Ok, ho capito dove vuoi arrivare: hai bisogno di muscoli molto robusti.

– Non basta – precisò Gidaado. – Hai bisogno di un *cammello*. Anche un asino andrebbe bene, ma un cammello è meglio. Leghi un capo della corda al tuo cammello e l'altro a un secchio, e inizi a cavalcare avanti e indietro per tirare su l'acqua.

– Che c'è di male? – disse Sophie. – Non mi sembra particolarmente crudele...

– Lo diventa quando a farlo è Moussa ag Litni. Lui cerca i cammelli più forti del Sahara per farli attingere acqua tutto il giorno, senza riposarsi mai. Le corde lasciano segni profondi sulle schiene dei cammelli, che spesso crollano a terra esausti.

– Ma è orribile.

– E un inseguitore non se la passa molto meglio – continuò Gidaado. – Dicono che Moussa ag Litni non si accontenti di un cammello *veloce*: deve essere veloce sulla lunga distanza. Così per allenarlo lo fa correre per ore e ore nel deserto. Se rallenta lo picchia, se cade lo picchia. «Senza dolore non si ottiene onore» dice.

– Anche noi abbiamo un proverbio simile – osservò Sophie.

– Ecco perché ag Litni ama gli inseguimenti con i cammelli. Sa che i suoi cammelli possono andare avanti finché dura l'inseguimento, mentre prima o poi il cammello a cui dà la caccia non ce la fa più ed è costretto a fermarsi. Ag Litni vince sempre.

Sophie pensò a Chobbal. Se ag Litni avesse scoperto quanto era veloce, sicuramente ne avrebbe fatto un inseguitore. Scrutò Gidaado, che stava sbattendo le palpebre e si strofinava gli occhi.

– Ma tu stai piangendo – mormorò.

– No. È solo un po' di sabbia negli occhi.

– Tieni, prendi una guava.

Nell'oscurità Sophie credette di scorgere la sagoma di una capanna. Afferrò il braccio di Gidaado e sussurrò: – È quello *il posto*? Il posto dove vive Moussa ag Litni?

Il ragazzo fissò a lungo in quella direzione e poi scosse la testa. – No – disse. – Se non sbaglio questo posto appartiene a una famiglia nomade che viene dal Mali. Abitano lì soltanto tre giorni all'anno. Deve avermene parlato zio Ibraiim.

Non appena si avvicinarono, fu chiaro che Gidaado non si sbagliava. Le impronte di cammello non conducevano alla capanna, ma proseguivano oltre perdendosi in lontananza. La capanna era una sorta di cupola allungata fatta di gambi di miglio intrecciati, con un'entrata molto bassa. «Assomiglia a un igloo di paglia» pensò Sophie. Sembrava disabitata ed era in condizioni pessime, con grandi buchi nelle pareti, come se l'avessero mangiata le capre.

– Non c'è nessuno – disse Gidaado. – Dentro non ci sarà niente, eccetto forse un contenitore per l'acqua.

«Acqua! Proprio quello di cui abbiamo bisogno» pensò Sophie, che aveva quasi finito la sua bottiglia. Corse verso la capanna e si chinò per entrare. C'era molto buio, ma piccoli fasci di luce lunare penetravano attraverso i buchi nelle pareti di stuoia. L'interno era completamente vuoto, fatta eccezione per un letto di legno e un grande contenitore d'argilla per l'acqua. Sophie sollevò il coperchio.

Vuoto.

A quel punto sentì Gidaado ridere fuori dalla capanna.

– Ho parlato di un *contenitore* per l'acqua, Sofa. Non ho mai detto che ci sarebbe stata l'acqua dentro.

La ragazza, seccata, si voltò per uscire. Fu allora che sentì un lungo sibilo. Si immobilizzò e guardò verso il punto da cui proveniva il suono.

Eccolo, attorcigliato sullo stipite dell'entrata, lo sguardo imperturbabile fisso su di lei.

Sophie stava guardando negli occhi un cobra che sputa, uno dei serpenti più velenosi del mondo.

7
L'indovinello

– GIDAADO! – strillò. – Gidaado corri, presto!

Il ragazzo apparve all'ingresso della capanna. Aprì la bocca per parlare, ma poi scorse il terrore dipinto sul viso di Sophie.

– Corda – sussurrò lei. – Una corda che sputa... proprio lì.

Gidaado lo vide. Con una lentezza esasperante si sbottonò la camicia, se la tolse e fece un passo in direzione del serpente. Era a un paio di metri da lui.

– EHI! RAZZA DI SENZAGAMBE! – gridò facendo ondeggiare la camicia giallo chiaro. – Vuoi conoscere l'ultima moda della stagione? –. Il cobra si contorse rabbiosamente verso di lui, guardandolo fisso negli occhi e inarcandosi per sputare.

Gidaado lanciò la camicia, che cadde proprio sopra la testa del serpente. Immediatamente un sibilo incollerito si levò da sotto il tessuto.

– Corri! – gridò Gidaado.

E Sophie corse: oltre la camicia gialla che si contorceva, oltre Gidaado, fuori dalla capanna, via, nel deserto, e solo quando non ebbe più fiato per correre si fermò e guardò indietro. Gidaado non era molto distante.

– Che ne è stato della tua camicia? – gli chiese non appena la raggiunse, ansimante.

– Ho deciso che era più sicuro lasciarla alla corda... E poi il giallo dona molto più a lei che a me.

Nella fuga i due ragazzi si erano allontanati dalle impronte dei cammelli

e per ritrovarle dovettero girarsi e dirigersi verso ovest, scrutando attentamente il terreno.

– Non sembravi affatto spaventato prima – notò Sophie.

– Infatti non lo ero. E credevo che nemmeno *tu* avessi paura delle corde – insinuò Gidaado.

– Cosa te lo ha fatto pensare?

– Ti ho visto al banco di Salif dan Bari al mercato. Eri a tre metri da Mamadou la corda e non sembravi per niente preoccupata.

– Mamadou è senza denti – spiegò la ragazza. – Credevo che tutti lo sapessero.

– Davvero? –. Gidaado sembrava sorpreso. – Sei sicura?

– Ecco cosa succede a vivere in un villaggio sperduto. Ti perdi il pettegolezzo cittadino.

– Vuoi dire che Salif dan Bari è un imbroglione?

– Sì, ma un imbroglione simpatico –.

Sophie guardò Gidaado. – Non avrai comprato…?

– Sì –. Il ragazzino infilò la mano nella tasca dei pantaloni e ne estrasse tre piccole pillole blu. – Mi stai dicendo che le pillole di Salif contro i serpenti non funzionano?

– Sono solo zucchero mescolato con bacche blu – disse Sophie, ridendo.

– Allora se prima, lì nella capanna, la corda mi avesse morso…

– Saresti morto all'istante.

Gidaado si portò la mano alla bocca. – *Zorki*, Sofa! Se lo avessi saputo non lo avrei mai chiamato Senzagambe e tanto meno lo avrei attaccato con la camicia!

– Oh, davvero? – disse Sophie.

– Sarei scappato via più veloce di una lepre.

– E mi avresti lasciato da sola nella capanna con una corda che sputa?

– Sì, no, ehm…

Sophie rise vedendo il suo imbarazzo. – Sono felice che tu mi abbia salvato, Gidaado. Grazie.

Il ragazzo si fermò improvvisamente e Sophie andò quasi a sbattergli contro. – Là! – disse, indicando un punto più avanti, sulla sinistra. – Quelle sono le impronte di Chobbal.

Sophie tirò fuori la bottiglietta d'acqua dallo zaino e tutti e due ne presero un sorso prima di rimettersi di nuovo in marcia, seguendo le tracce verso nord.

– Così mi avevi visto al banco dell'uomo delle corde?

– Ti vedo sempre quando c'è il mercato – rispose Gidaado. – È impossibile non notarti tra la folla: tutti sanno sempre dov'è e che cosa sta facendo la ragazzina bianca.

– Ma non mi hai mai rivolto la parola.

– Non sapevo cosa dire – confessò Gidaado.

– "Ciao" avrebbe potuto essere un

buon inizio – rispose Sophie brusca-
mente.

– Non fare così. Siamo amici adesso, no?

– Non so, lo siamo?

– Dobbiamo esserlo. Ti ho salvato la
vita.

– Soltanto per caso.

– Beh, concediamoci una guava per
festeggiare.

– D'accordo –. Sophie tirò fuori le
ultime due dallo zainetto e ne porse
una a Gidaado.

– Ho un indovinello per te – disse
lui, dando un morso alla sua guava.
– Sei pronta?

– Vai!

– Io ho tre figli. Uno va via ma non
ritorna mai, uno mangia ma non è mai
sazio, uno cade ma non si rialza mai.
Chi sono io e chi sono i miei figli?

– Mangia ma non è mai sazio... – ri-
fletté Sophie. – Mi ricorda qualcuno
che conosco.

– Molto divertente – disse Gidaado, sputando i semi.

– Cade, ma non si rialza. È qualcuno che è morto?

– No.

– Ma è una persona?

– No.

– Un animale?

– No.

– E allora che cos'è?

– Non te lo dico – scosse la testa Gidaado. – Devi indovinare.

Continuarono a camminare in silenzio. Sophie era così impegnata a cercare di risolvere l'indovinello che per un po' non pensò più a Chobbal e Tijani. La luna brillava sulla sabbia immobile e il silenzio tutto intorno era così profondo che cominciarono a fischiarle le orecchie. Così fu grata a Gidaado quando ricominciò a parlare.

– Ehi, Sofa.

– Che cosa c'è?

– Ti è rimasta dell'acqua?

– Un goccio. È meglio tenerla in serbo per dopo.

Finché restava un po' d'acqua nella bottiglia Sophie sapeva che avevano una possibilità. Ma quando fosse finita, si sarebbero trovati in guai seri. «Mai scherzare con il Sahara» diceva sempre suo padre. Se solo gli avesse dato ascolto.

– Gidaado, nei tuoi viaggi nel deserto per quanto tempo sei riuscito a stare senza bere?

– Tre o quattro ore – rispose lui. – Ma potrei andare oltre se fosse necessario. Il mio bis-bis-bis-bis-bis-bis-bis-bis-bisnonno, Hussein lo Spilungone, una volta andò avanti per tre giorni interi senza bere, soltanto per vincere una scommessa.

Sophie guardò l'orologio, ma nemmeno al chiaro di luna riusciva a leggere l'ora. Era preoccupata. Quanto ci sarebbe voluto ancora per arrivare all'accampamento di ag Litni?

– Se muori nel deserto – riprese Gidaado allegramente – sai che cosa ti succede?

– Sì, diventi uno scheletro e il deserto imbianca le tue ossa.

– Questo è quello che pensa la maggior parte della gente. Ma non è vero.

– Allora cosa succede?

– Il calore del deserto fa evaporare tutti i tuoi liquidi e la tua pelle diventa come cuoio friabile. Dopo un po' comincia a raggrinzirsi ma...

– Grazie, basta così! – lo interruppe Sophie.

– Ok. Vuoi sentire una canzone sull'argomento?

– No – disse lei con fermezza.

– Vuoi ascoltare un'altra canzone su ag Litni?

– No.

– Vuoi che canti per te un altro po' del mio *tarik*?

– No.

– Certe persone sono proprio difficili – sbuffò Gidaado Quarto. – A questo punto, non mi rimane altro da fare che... aaaaargh!

– Gidaado! – urlò Sophie e si aggrappò al suo braccio.

La sabbia sotto i suoi piedi aveva improvvisamente ceduto e lui ci stava affondando dentro.

8
Da sola

DI GIDAADO spuntavano dalla sabbia soltanto la testa e un braccio.

Sophie afferrò la mano del ragazzo e tirò con tutta la forza che aveva. Dapprima riemersero le spalle, poi l'altro braccio. Sophie continuò a tirare finché Gidaado non uscì tutto intero dalla buca, poi ricadde esausta sulla sabbia.

– Che cos'è successo? – ansimò.

– Dev'essere un vecchio pozzo – rispose Gidaado, anche lui senza fiato. – Probabilmente apparteneva all'accampamento che abbiamo oltrepassato. Quando un pozzo viene abbandonato, si riempie gradualmente di sabbia e di polvere finché diventa impossibile vederlo.

– Fintanto che non ci caschi dentro – aggiunse Sophie.

– Già. Non è altro che sabbia, dopo tutto, ma se qualcosa di più pesante di uno scinco mette un piede nel posto sbagliato... ci cade dentro e la sabbia si richiude sopra di lui. È incredibilmente pericoloso.

– Bisognerebbe mettere un grosso segnale lì vicino – disse Sophie.

Gidaado era ancora sotto shock: gli occhi più spalancati del solito e la voce tremante. – Se non ti fossi aggrappata al mio braccio, adesso non sarei qui.

– Vuoi dire che ti ho salvato la vita? Allora adesso siamo pari.

– Immagino di sì –. Il ragazzo si chinò e si toccò la caviglia. – Credo di essermi preso una storta – disse con una smorfia di dolore.

– Riesci a camminare?

Gidaado si alzò, fece qualche passetto zoppicando, poi si sedette di nuovo.
– No. Mi fa male.

Sophie impallidì. Fino a quel momento si era completamente affidata a Gidaado. Se lui non poteva camminare, come avrebbero fatto a salvare Chobbal? E soprattutto, come sarebbero riusciti a tornare indietro? La paura le strinse lo stomaco. – E adesso che cosa facciamo? – disse. – Ce ne stiamo qui ad aspettare che arrivi qualcuno? Questo posto non è proprio quello che si dice un porto di mare... Potrebbero volerci mesi. E se alla fine qualcuno dovesse passare, sarebbe probabilmente Moussa ag Litni o uno dei suoi amici psicopatici. Ma non avrà importanza, perché per allora saremo già morti di sete. Il calore ci farà raggrinzire e ci trasformerà in persone di cuoio, e nel giro di qualche giorno saremo utili solo per fare cuscini tuareg –. A queste parole si interruppe e scoppiò in lacrime.

Gidaado la fissava con interesse.
– Com'è un porto di mare?

Sophie si voltò a guardarlo furibonda. – Sì, ma certo, facciamoci una simpatica chiacchierata sui modi di dire. Dopotutto abbiamo un sacco di tempo. Io ti descriverò i porti di mare e tu mi racconterai del tuo villaggio, io ti parlerò delle piante carnivore e tu degli scinchi e così via... In questo modo, prima di morire di sete, almeno potremo dire di essere diventate *PERSONE DI CUOIO INTELLIGENTI*!

Urlare contro qualcuno la faceva sentire meglio. Gidaado la fissava a bocca aperta: forse pensava che un genio del deserto le fosse saltato sulla testa e l'avesse fatta ammattire. O semplicemente non era abituato al fatto che una ragazza gli urlasse contro.

Sophie andò a sedersi accanto a lui sulla sabbia. Si sentiva molto piccola e spaventata. – Che cosa faremo? – mormorò.

– Tanto per cominciare ti bevi l'acqua che è rimasta – iniziò Gidaado con calma – poi segui le tracce fino all'accampamento di Moussa ag Litni e salvi Chobbal. Lo riporti qui e ce ne torniamo a casa.

Sophie non rispose subito. L'ultima cosa che voleva era proseguire da sola, ma in fondo sapeva che il ragazzo aveva ragione. Aveva bisogno di un cammello per trasportare Gidaado e c'era solo un modo per procurarselo.

– D'accordo – acconsentì infine, meravigliandosi di quanto fievole risuonasse la sua voce nella vastità oscura del deserto. Aprì la borsa e lasciò a Gidaado i frutti del baobab perché avesse qualcosa da mangiare mentre la aspettava. Voleva dargli anche la bottiglia d'acqua, ma lui rifiutò.

– Ne hai più bisogno tu.

– Quanto credi che disti l'accampamento di ag Litni? – gli chiese.

– Non troppo. L'uomo che ha preso

Tjiani ha detto che ci avrebbe fatto una zuppa stasera. Credo che contino di arrivare prima di mezzanotte.

– Ma se io li seguo a piedi ci metterò di più, non è vero?

– Sì, ma è meglio così: quando arriverai saranno già tutti addormentati.

– Speriamo – sospirò Sophie.

– Trova Chobbal, saltagli in groppa e allontanati più velocemente che puoi.

– Ok – disse Sophie.

– E prega che Moussa ag Litni non si svegli.

– Ok.

La ragazza si allontanò, seguendo le tracce. Non faceva particolarmente freddo, eppure le tremavano le mani.

– Sophie! – gridò Gidaado.

La ragazza si voltò. – Che c'è adesso?

– Fai attenzione.

Sophie si girò e proseguì.

Era già qualcosa. Non era più Sofa, ma Sophie.

Forse aveva trovato un amico.

Camminare tutta sola nel deserto non coincideva esattamente con la sua idea di "passare una bella serata fuori". Continuava a ripetersi che non c'era nulla da temere, ma non serviva: erano invece molte le cose di cui aver paura, non ultimi i geni del deserto di cui le aveva parlato Gidaado. *Ti si avvicinano alle spalle, ti saltano sulla testa e ti fanno diventare matto.* Sophie si guardò attorno, con le orecchie tese. Solo sabbia e rocce.

Il paesaggio era punteggiato di strane forme a spirale che al suo passaggio facevano ondeggiare le loro orribili braccia spinose verso di lei. «Sono solo cespugli di acacia» si disse. Le piante non sono qualcosa di cui aver paura, a meno che tu non sia una formica e la pianta sia carnivora. Cominciò a chiedersi se esistevano piante carnivore più grandi delle acchiappamosche che studiava suo padre. Piante abbastanza grandi da mangiare una rana.

O una capretta. O un bambino. Bevve l'ultima goccia d'acqua della bottiglia e proseguì tremando.

Camminava a testa bassa, concentrandosi sulle impronte di cammello davanti a lei.

Era in marcia già da un'ora quando improvvisamente si rese conto che il buio era aumentato: una spessa nuvola stava oscurando la luna.

Iniziò ad alzarsi il vento: dapprima soltanto una brezza, quindi raffiche sempre più forti. Sophie cercò di proteggersi il viso con la mano e prese a camminare più velocemente. Grossi turbini di sabbia soffiavano nella sua direzione. Cominciò a correre.

L'aria, a causa della sabbia, si era fatta densa. Era così buio che la ragazzina non riusciva più a vedere il terreno sotto i suoi piedi e nemmeno la sua mano davanti alla faccia. Era una vera e propria tempesta di sabbia, come quella che aveva sorpreso la piccola Fatimata

Tamboura soltanto l'anno precedente. *Mai scherzare con il Sahara.*

Papà le aveva spiegato molte volte cosa fare in caso di una tempesta di sabbia. «Siediti nel punto esatto in cui ti trovi» diceva sempre «e aspetta che passi». Così Sophie si sedette, chinò la testa tra le braccia e aspettò. Granelli di sabbia taglienti le sferzavano le orecchie, la nuca e le mani. In quel momento sarebbe stata un facile obiettivo per qualunque genio fosse passato di lì.

Rimase completamente immobile, abbracciandosi per difendersi dal vento e contando i minuti man mano che passavano. Era certa che da un momento all'altro qualche creatura malvagia le sarebbe saltata sulla testa.

Ma i geni del deserto non si fecero vivi. «Forse» pensò «sono tutti seduti con la testa tra le mani ad augurarsi che la tempesta passi. O forse non esistono».

Dieci minuti più tardi il vento cominciò a placarsi e venti minuti dopo

l'aria era di nuovo ferma. Sophie alzò la testa e si sfregò via la sabbia dai capelli e dagli occhi.

Era spuntata di nuovo la luna, ma il paesaggio intorno era completamente cambiato. La sabbia sul terreno era più alta. E ogni impronta di cammello era scomparsa.

«Torna indietro» fu il suo primo pensiero. «Torna da Gidaado e spiegagli che cosa è successo.» Ma come avrebbe fatto a trovarlo? E, anche ammesso che ci fosse riuscita, che cosa avrebbero fatto poi? A quel punto si sarebbero trovati in una situazione ben peggiore: senza cammello, senza acqua da bere e senza tracce da seguire. L'unica cosa da fare era andare avanti.

Sophie si alzò e si avviò nella direzione in cui stava camminando prima che si alzasse la tempesta. «Per favore, fa' che non sia lontano» pensò.

Camminò ancora e ancora, e a ogni passo sentiva la speranza venirle meno.

Fino a quando scorse un'enorme duna di sabbia che si stagliava nell'oscurità. Per non rischiare di perdere la direzione, decise di non aggirarla ma di salire dritto fino in cima. In circostanze normali si sarebbe lanciata di corsa su per la duna: amava la sensazione della sabbia pesante che le scivolava via sotto i piedi. Era un po' come risalire una scala mobile al contrario, solo che non c'era nessuno a sgridarti.

Ma stavolta no. Si reggeva a malapena in piedi. Era quasi mattina e la stanchezza stava per avere la meglio su di lei: da quando aveva lasciato il baobab non aveva quasi smesso di camminare, e questo era successo molte ore prima. Man mano che saliva, arrancava, e a ogni passo non desiderava altro che stendersi sulla sabbia morbida e addormentarsi.

Ma ciò che vide quando giunse sulla sommità della duna dissolse la sua stanchezza in un istante.

9
L'accampamento

AI SUOI PIEDI si allungava una distesa pianeggiante circondata da dune. Al centro bruciava un piccolo fuoco da bivacco, e attorno al fuoco c'erano quattro grandi tende di tela e un recinto pieno di cammelli.

Uno strano miscuglio di sollievo e di paura invase Sophie.

Quello era l'accampamento di Moussa ag Litni.

Si distese carponi e guardò in direzione delle tende. Erano scure, con gli ingressi serrati. Se prima c'era qualcuno all'aperto, vicino al fuoco, la tempesta di sabbia doveva averlo costretto a rintanarsi all'interno. Dalle tende non proveniva alcun suono.

«Sono tutti addormentati» si disse, più per scaramanzia che per altro.

Spostò la sua attenzione ai cammelli. Ce n'erano una ventina stipati nel piccolo recinto, tutti inginocchiati. Allungò il collo alla ricerca di una gobba più pallida delle altre.

Eccola!

Chobbal! Era l'ultimo del gruppo, la testa sollevata ad annusare l'aria.

All'ombra della duna più lontana notò un piccolo muro circolare con una sbarra per traverso: non poteva essere che una sola cosa.

Un *pozzo*.

Aveva così sete che fu tentata di andare subito a bere. Ma poi si ricordò di quello che aveva detto Gidaado. Per attingere l'acqua nel deserto ti serve qualcosa di più che muscoli robusti.

Hai bisogno di un cammello.

Sophie sapeva che si sarebbe dovuta spingere fino al recinto. E quasi sperava che la tempesta tornasse per fornirle una sorta di copertura. Ma adesso l'aria era immobile e la luna, alta nel cielo, diffondeva una luce misteriosa sulle tende e sui cammelli.

Si alzò, fece un respiro profondo e cominciò a scendere di corsa la duna di sabbia verso il recinto.

Prima di trasferirsi in Africa Sophie era assalita da un incubo ricorrente che si concludeva sempre con lei che veniva imprigionata da un gigantesco ragno. Nel sogno cercava di correre più veloce che poteva, ma i suoi piedi si muovevano in modo terribilmente lento.

Proprio come adesso, mentre scendeva di corsa la duna.

A ogni passo i suoi piedi affondavano nella sabbia. Era come correre al rallentatore.

Gettò un'occhiata alle tende. «Non uscire, Moussa ag Litni. Per favore, non uscire.»

Corse dietro il recinto, si buttò a terra e rimase in ascolto.

Silenzio.

Il recinto era un grande cerchio formato da sterpi e rovi accatastati gli uni agli altri. Sophie cominciò a farsi strada tra i rami, creando un buco largo a sufficienza per le zampe di un cammello. Le spine le pungevano le mani e le braccia, ma non le importava. Tutto ciò che riusciva a pensare era: «Entra velocemente, scappa velocemente».

Apertasi un varco abbastanza grande, strisciò carponi all'interno del recinto, in mezzo agli animali. Qualche cammello la fissò, senza però mostrare grande interesse; la maggior parte continuò semplicemente a dormire.

La ragazzina si trascinò fino a Chobbal e accarezzò il suo collo candido. Il cammello bianco drizzò la testa e le ri-

volse un ampio sorriso con i suoi inci-
sivi sporgenti.

Sophie constatò con sollievo che indossava ancora la sella. Tutto stava an-
dando per il meglio.

Poi la porta di una delle tende si
aprì improvvisamente e si udirono dei
passi frettolosi avvicinarsi al recinto.

10
Il campanello

I PASSI SI ARRESTARONO proprio sul lato opposto del recinto rispetto al punto in cui era accovacciata Sophie.

Attraverso i rami spinosi la ragazzina poteva distinguere la sagoma di un uomo avvolto in una coperta e chino in avanti, che si teneva lo stomaco per il dolore.

Sophie si schiacciò ancora di più a terra.

Si udirono ancora dei passi, poi una voce di donna che chiamò: – Usman, dove sei?

Un lamento fu la sola risposta.

– Te l'avevo detto di non mangiare quella zuppa – riprese la donna. – Aisseta è una frana in cucina. Quella ragazzina non sa distinguere le parti di uno scinco una dall'altra. Probabilmente non ha nemmeno aggiunto un po' di spezie.

Altri mugolii di dolore.

La donna apparve tra i buchi del recinto. Indossava un lungo scialle nero, e monetine d'argento le luccicavano tra i capelli.

Sophie non riusciva a scorgerne il viso, ma non doveva avere un'espressione felice.

– Non ti sei accorto che sei stato l'unico a mangiare quella roba? Perfino Aisseta non l'ha assaggiata.

– Sento che mi sta venendo la febbre. Morirò.

– «Mangia un po' del mio *chobbal*» ti ho detto. Ma tu, no: «Voglio prendermi la rivincita su quello strabico di uno scinco» hai detto. «Così imparerà a mordermi.» Non ti senti più così furbo adesso, eh?

– *Zorki*, Aisha, un uomo non può neanche avere mal di stomaco senza che sua moglie lo rimproveri?

– Bene, se la metti così... Visto che la mia comprensione è sprecata, me ne tornerò a letto.

Sophie ascoltò i passi della donna che rientrava e attese che anche l'uomo facesse lo stesso. Sperava disperatamente che non notasse il buco ingrandito nel recinto.

Usman rimase fuori per alcuni minuti, borbottando tra sé e sé.

Finalmente Sophie lo sentì ritornare alla sua tenda.

Rimase distesa per un altro po' in silenzio, poi fece un respiro profondo e si alzò in piedi.

Più velocemente e silenziosamente che poteva si arrampicò sulla sella di Chobbal e incrociò i piedi sulla U del suo collo. Le zampe posteriori del cammello lentamente si distesero, facendola oscillare in avanti, e lo stesso fecero quelle anteriori sollevandola in alto. Sophie afferrò le redini, diede a Chobbal un calcio gentile e lo guidò verso il varco tra le spine.

Mentre passavano, un grosso cammello marrone con un occhio solo si alzò in piedi e sbuffò verso di loro.

Attraversarono il varco e si trovarono fuori, all'aperto.

Sophie non vedeva l'ora di allontanarsi dal campo, ma non poteva avventurarsi nel deserto senz'acqua. Guidò Chobbal fino al pozzo e guardò giù. Un fievole bagliore di luce lunare si rifletteva sul fondo dell'acqua.

Sul muro di mattoni attorno al pozzo, proprio alla sua portata, c'erano un secchio e una corda spessa. La ragazzina prese uno dei capi e lo legò con cura alla gobba di Chobbal, poi legò l'altro al manico del secchio.

Forza, non mancava molto.

Aveva già cominciato a calare il secchio, quando udì un suono alle sue spalle.

Il suono che temeva di più al mondo, persino più del sibilo di un serpente.

Il tintinnio metallico di una piccola campana.

11
Moussa ag Litni

– SALAM ALAYKUM, ragazzina bianca. Hai trascorso una buona notte?

Sophie si girò. Dietro di lei c'era il cammello con un occhio solo e, in groppa all'animale, un uomo. Indossava un ampio turbante blu e attorno al collo, appesa con un cordoncino, portava una campana d'argento.

Sophie stava fissando le guance incavate e gli scintillanti occhi neri di uno dei più temuti banditi del deserto del Sahara: Moussa ag Litni.

Il bandito sorrise con fare maligno.

– Ooh – disse – adoro ricevere ospiti.

Sophie lasciò andare il secchio, che ricadde nell'oscurità atterrando con un tonfo. Con le dita tremanti armeggiò per slegare la corda attorno alla gobba di Chobbal.

– Posso aiutarti? – domandò Moussa ag Litni.

La corda si sciolse e Sophie sferrò un calcio con entrambi i talloni nei fianchi di Chobbal, che cominciò a camminare.

Ag Litni le si affiancò: era così vicino che le loro selle quasi si toccavano.

– Siamo gente semplice – continuò – ma ci piace onorare i nostri ospiti. Vuoi provare a scappare o ti arrendi subito?

Sophie aprì la bocca per gridare, ma non ne uscì alcun suono. Di nuovo sferrò un calcio nel fianco del cammello, stavolta più forte. Come faceva Chobbal a non capire?! Non poteva non sentire la crudeltà di quell'uomo. E la sua paura. Forza adesso, pensa.

Che cosa diceva Gidaado per far correre Chobbal?

– *Kaboosh* – balbettò con una vocetta piena d'angoscia. Gli occhi le si riempirono di lacrime.

– Come hai detto? – chiese Moussa ag Litni, facendole cenno di non capire e rivolgendole il suo inquietante sorriso. – Puoi ripetere?

– *Babooshka!* – riprovò Sophie.

– Devi parlare in fulfulde o in tamashek – suggerì Moussa ag Litni, lisciandosi la lunga barba nera. – Non capisco il russo.

– *Foosh-ka!* – strillò Sophie.

Chobbal girò la testa e sollevò un sopracciglio.

– È stato piacevole scambiare quattro chiacchiere con te – disse Moussa ag Litni – ma stai cominciando ad annoiarmi. Mi è venuta un'improvvisa voglia di danzare... –. Estrasse dalla cintura un lungo coltello d'argento e lo sollevò sopra la testa.

Sophie fissava il coltello. – *Moosh-ka!* – gridò.

Il coltello cominciò a scendere.

Allora si ricordò.

– *HOOSH-KA!*

Chobbal si mise improvvisamente a correre e ag Litni sferzò l'aria solo qualche centimetro dietro di lei.

– Oooh – ridacchiò Moussa ag Litni. – Magnifico! Io adoro gli inseguimenti! *HOOSH-KA!*

Sophie si teneva stretta alle redini mentre Chobbal si allontanava al galoppo tra le dune. La sua mente oscillava tra paura e confusione. Sentiva alle sue spalle la risata selvaggia di ag Litni e gli zoccoli del suo cammello, ma non osava guardare indietro per vedere quanto fosse vicino.

– Puoi correre finché vuoi – gridò ag Litni – ma nel deserto non c'è nessun posto dove nascondersi!

Nessun posto dove nascondersi. Come avrebbe potuto farcela? Sentiva il cuore batterle nelle orecchie: *DUM BABA-DUM BABA-DUM BABA-DUM. Alai era un ragazzino, aveva otto anni appena e un cammello dai denti di castoro: la loro amicizia valeva più dell'oro. Ag Litni vince sempre. Ag Litni vince sempre. Ag Litni vince sempre.*

Ma sotto il ritmo assillante della paura sentì una piccola voce ferma. *Pensa, Sophie. Devi calmarti e pensare.*

Pensò.

Continuare a correre verso nord nel deserto era privo di senso. Se c'era una qualche speranza, era a sud: verso Gidaado e Gorom-Gorom. Ma *da quale parte* era il sud? Si guardò attorno: nient'altro che sabbia sfuggente e acacie ondeggianti e ombrose.

Poi la vide.

In lontananza, davanti a lei, una debole luce all'orizzonte. Il sole stava per sorgere! Se il sole stava spuntando di fronte a lei, significava che stava viaggiando verso est. Quindi per andare verso sud doveva girare a destra. No, a sinistra. No, a destra.

Strattonò le redini di Chobbal.

Un altro scoppio di risa risuonò alle sue spalle.

– Dove vai? – le gridò ag Litni. – Devi già andartene? Non abbiamo ancora fatto la nostra Danza!

– HOOSH-BARAKAAA! – urlò Sophie. Chobbal abbassò la testa e arretrò le orecchie. Adesso stava davvero volando.

– HOOSH-BARAKAAA! – urlò a sua volta ag Litni. – Una corsetta prima di colazione è proprio quello che ci vuole!

I commenti sarcastici di ag Litni la stavano facendo arrabbiare.

– Ti scoppi la testa dal caldo – urlò. Non era molto fantasioso, ma era il meglio che riusciva a pensare.

– *Zorki!* – esclamò il Tuareg. – Una ragazza bianca che parla il fulfulde. Come sei intelligente, mia cara. Scortese, ma intelligente.

– Non mi prenderai mai! – gridò Sophie. – Dovresti lasciar perdere.

Ancora risa selvagge. – L'albino è veloce, te lo concedo, – gridò ag Litni – ma si stancherà subito. Nyiiri avrà anche un occhio solo, ma è il migliore corridore sulla lunga distanza di tutto il Sahara. Può correre per sei ore di seguito, se ha lo stomaco pieno.

– E ce l'ha pieno adesso?

– Indovina! – urlò ag Litni con voce spaventosa.

Così Gidaado aveva ragione. *Moussa ag Litni sa che i suoi cammelli possono andare avanti finché dura l'inseguimento, mentre prima o poi il cammello a cui dà la caccia non ce la fa più ed è costretto a fermarsi.*

Ag Litni vince sempre.

A oriente stava sorgendo il sole e il cielo cominciava a rischiararsi. Adesso Sophie poteva vedere la distesa di sabbia che si allungava in lontananza verso l'orizzonte piatto. Il sole era ancora alla sua sinistra: stava puntando nella giusta direzione.

Con Chobbal lanciato a una tale velocità, tutto ciò che poteva fare era cercare di non cadere. Si teneva aggrappata allo spuntone della sella, stringendo i fianchi del cammello con le ginocchia. Da quanto tempo stavano correndo? E quanto ci sarebbe voluto prima che Chobbal si stancasse e rallentasse?

All'orizzonte comparve una minuscola ombra scura.

Un cespuglio di acacia? No, le acacie non avevano quella forma. Questa era rotondeggiante come... una capanna! Ma certo! Doveva essere l'accampamento da cui erano passati la notte precedente. Tirò leggermente le redini a sinistra e si diresse lì.

– Non farti illusioni – gridò ag Litni dietro di lei. – I proprietari di quella capanna la usano di rado. E anche se ci fossero scapperebbero appena mi vedono. Di solito faccio questo effetto alle persone.

Galoppavano senza tregua. I capelli di Sophie fluttuavano al vento e il rimbombo degli zoccoli del cammello le riempiva le orecchie. La capanna sembrava più vicina, ma era ancora molto distante. E poi, lì dentro non c'era nessuno, eccetto un cobra particolarmente arrabbiato che indossava una camicia gialla.

«Gidaado,» pensò «dove sei?».

– HOOSH-BARAKAAAAAAAA! – gridò Moussa ag Litni. – Che inseguimento emozionante! Peccato che stia già per finire...

Sophie non voleva ammetterlo, ma Chobbal *cominciava* a essere stanco. Non si sentiva più sbatacchiata come prima e il suono degli zoccoli di Nyiiri si era fatto più forte. Era terribile ma vero... Chobbal stava rallentando. E avrebbe continuato a rallentare fino a passare al trotto, e poi a fermarsi del tutto. E quella sarebbe stata la fine. La *sua* fine.

Pensa, Sophie. Di nuovo quella voce nella sua testa. *Devi calmarti e pensare.*

Studiò il paesaggio davanti a lei, cercando di riconoscere qualcosa, qualunque cosa dalla notte prima.

C'era un albero a due punte che ricordava di aver oltrepassato. E più lontano una grossa pietra piatta che le sembrava di aver già visto. Tirò le redini verso sinistra e proseguì al piccolo galoppo.

Ag Litni ormai le stava alle costole. – Ben fatto, Nyiiri – stava dicendo al suo cammello. – Ci sei riuscito di nuovo. È nei momenti come questo che uno capisce quanto valga la pena tutto quell'allenamento, non è vero?

Una cinquantina di metri più avanti Sophie notò una piccola montagnetta di sabbia dalla forma strana. Tirò lievemente le redini. Un po' a sinistra, un po' più a sinistra. La sua mente girava a mille. Stava cercando di ricordare una parola, una parola che avrebbe potuto salvarle la vita.

Gettò un'occhiata indietro: ag Litni era così vicino che quasi poteva toccarla. Brandiva il suo coltello d'argento e agitava vorticosamente la testa e le braccia.

Era l'inizio della Danza della Morte.

– *Oooooh, eeee, ooh-ah-ah* – cantava Moussa ag Litni in un'estasi terrificante.

Venti metri, quindici, dieci...

La piccola montagnola di sabbia dalla strana forma vibrò fino a sollevarsi: lì davanti a loro, coperto di sabbia, apparve Gidaado Quarto. Era proprio sulla traiettoria dei cammelli, con una mano in tasca e l'altra a indicare un punto sul terreno davanti a lui. Sophie si morse il labbro e tirò le redini a sinistra.

Aveva una sola possibilità.

– BAHAAT-UGH!!!!!!!! – urlò e tirò indietro le redini con tutta la forza che aveva. Chobbal piantò le zampe anteriori sul terreno e slittò fino a fermarsi, sollevando sabbia e polvere dappertutto.

– BAHAAT-UGH!!!!!!!! – gridò anche Moussa ag Litni, e slittò fino a fermarsi accanto a Sophie, con un ghigno feroce che gli attraversava la faccia da un orecchio all'altro, e il coltello che incombeva alto nell'aria.

Poi il ghigno si trasformò in un'espressione di assoluto stupore, mentre insieme al suo cammello il bandito spariva nella sabbia.

Un'enorme nuvola di polvere si sollevò dall'abisso.

Sophie sbatté le palpebre e si coprì gli occhi con la mano. Chobbal sbuffò allarmato e, cautamente, si allontanò dalla buca. Mentre la polvere si abbassava, i ragazzi rimasero immobili, in ascolto.

Da qualche parte sottoterra proveniva la voce attutita ma infuriata di Moussa ag Litni, l'uomo più cattivo di tutta l'Africa occidentale.

– *Zorki!* – urlava la voce. – *Zorki zorki zorki zorki ZORKI!*

Gidaado scosse tristemente la testa:
– Guarda un po' questa buca. È incredibilmente pericolosa.

– Qualcuno dovrebbe metterci un segnale accanto   concordò Sophie.

12
La soluzione

ERANO LE NOVE del mattino quando arrivarono al villaggio di Gidaado.

Il ragazzo bussò alla porta della capanna quadrata e una piccola donna anziana aprì e li scrutò. Aveva i lobi delle orecchie incredibilmente lunghi e la pelle rugosa come un frutto di baobab.

– Tu, uccellaccio stonato! – esclamò squadrando Gidaado. – Perché mi hai svegliato? Sono una donna molto malata. In più hai diciotto ore e mezza di ritardo. Io sono qui che aspetto la mia medicina da Gorom-Gorom, e tu te ne resti in città tutto il giorno e tutta la notte, a cantare le tue sciocche canzoni e a danzare le tue stupide danze, senza rivolgere neanche un pensiero alla tua vecchia nonna che giace in un letto ad aspettare la sua medicina.

– Mi dispiace, nonna.

– Beh, comunque sono contenta di vederti. E lo stesso vale per la ragazzina bianca, chiunque sia. Vai ad accendere il fuoco, Gidaado, e io andrò a prendere un po' di chicchi di caffè.

– Mi sono slogato la caviglia, nonna, non riesco a camminare.

– Bene – disse l'anziana donna.

– E Moussa ag Litni è caduto in un pozzo abbandonato a circa tre ore di corsa a nord-ovest da qui.

– Bene – disse di nuovo l'anziana donna, scomparendo all'interno della capanna.

Mezz'ora più tardi Gidaado e Sophie erano seduti all'ombra della capanna.

Accanto a loro, in equilibrio su due ceppi, bolliva un calderone di caffè, sotto il quale bruciava un fuoco vivido. La nonna di Gidaado aveva pestato i chicchi in un grosso mortaio di legno insieme a un po' di pepe nero per dare alla bevanda un gusto più intenso. Aveva perfino aggiunto alcune foglie di *barka* che avrebbero dovuto guarire la caviglia del nipote.

A Sophie bruciavano gli occhi ogni volta che il vento soffiava il fumo in quella direzione.

– Mia nonna è andata a chiamare zio Ibraiim nei campi – disse Gidaado. – Ti riporterà a casa lui sulla sua motocicletta.

Sophie distolse lo sguardo e inghiottì a fatica.

Finalmente avrebbe rivisto papà. Immaginò di arrivare a casa e di trovarlo seduto con la testa tra le mani davanti alla sua acchiappamosche del deserto. Immaginò la faccia che avrebbe fatto quando si fosse accorto di lei. Le lacrime nei suoi occhi e l'odore di polline misto a terra sulla sua camicia quando l'avrebbe stretta a sé.

Lei avrebbe mormorato qualche parola di scusa per essersene andata via senza dirglielo, e lui avrebbe risposto: «Mi basta che tu stia bene, tesoro». Poi i suoi occhiali si sarebbero appannati e avrebbe cominciato ad agitare il dito in segno di rimprovero e a ripeterle la solita lezione su Fatimata Tamboura. «Non scherzare mai con il Sahara» avrebbe detto, e lei avrebbe promesso di non riprovarci più in futuro. Sarebbe stato bello essere a casa.

– Stai piangendo – disse Gidaado.

– No, è solo il fumo negli occhi.

Gidaado fece schioccare la lingua dubbioso.

– Aspetta, ecco che cos'è! – esclamò Sophie.

– Cos'è cosa?

– Il fumo! Va via e non ritorna più.

– Vai avanti – disse Gidaado.

Sophie guardò Chobbal che era intento a masticare in un angolo della stuoia e poi si girò di nuovo verso Gidaado. – Io sono il Fuoco – disse. – I miei figli sono Fumo, Fiamma e Cenere. Fumo va via ma non ritorna mai. Fiamma mangia ma non è mai sazia. Cenere cade ma non si rialza mai.

Gidaado batté le mani. – Brava! Sei intelligente quasi come un griot!

Sophie rise. – Fammene un altro.

Indice

Ti è piaciuto questo libro?
Allora puoi leggere anche:

Emanuela Nava
Sognando l'India

Khurshid ha undici anni e vive in Italia. Il suo nome vuol dire "sole" e l'India, il paese in cui è nato, è piena di sole e di storie magiche. Che nostalgia! Però in Italia ci sono il calcio, il Natale e una mamma con la faccia da strega che fa ridere a crepapelle e sa raccontare bellissime storie.

Roberta Grazzani

Abdul vuole rivedere il mare

La maestra Lucrezia ha in serbo una sorpresa per la classe di Chiara... un nuovo compagno: si chiama Abdul ed è appena arrivato dal Marocco! Abdul non conosce ancora bene l'italiano ma Chiara sa che l'amicizia è il modo migliore per riuscire a conoscersi.

Erminia Dell'Oro
La pianta magica

In un Paese africano è nata Winta, una pianta che ha il potere di attirare la pioggia. Quando una viaggiatrice curiosa la strappa e se la porta via, tutte le nuvole, arrabbiate, fuggono e lasciano il Paese in una grave siccità. Il piccolo uccellino Hebrì dovrà allora intraprendere un lungo viaggio...

Erminia Dell'Oro

Dall'altra parte
del mare

a partire dai 9 anni

Erminia Dell'Oro
Dall'altra parte del mare

Elen e la sua mamma stanno fuggendo: lasciano il loro paese, l'Eritrea, la loro casa e tanti ricordi per realizzare il sogno di una nuova vita. Questa è la loro storia, e quella di tutti coloro che sfidano ogni giorno il mare per raggiungere l'Italia e la pace.